HELTER SKELTER

Kyoko Okazaki

제일 첫 한마디. 웃음과 비명은 매우 비슷하다.

岡崎京子

© Kyoko Okazaki 2003
© JJOKKPRESS 2020 for the Korean edition.
Korean translation rights arranged with Shodensha Co., Ltd.,
through le Bureau des Copyrights Français, Tokyo and Namuare Agency, Seoul.

이 책의 한국어판 저작권은 le Bureau des Copyrights Français와 나무아래 에이전시를
통해 Shodensha Co., Ltd.와 독점계약한 쪽프레스에 있습니다. 저작권법에 따라 한국 내에서
보호를 받는 저작물이므로 무단전재와 복제를 금합니다.

CONTENTS

14

*디오르 스벨트: 크리스챤디올의 화장품으로 몸에 바르면 살이 빠진다고
선전해서 한때 일본에서 대대적인 인기를 끌었다.

리리코 씨,
시간
됐어요.
으아악,
난부백화점의
후계자
난부 다카오다.
저기
그럼
파이팅,
아기고양이.
리리코
씨께
리리코
씨께
고마워♡
머저리
!!!
들어올 때
노크 좀
해!!
그리고
물은!!
했어
요오~
빙글

양질의 운동은
쾌적한 수면을
가져온다.

실어.

우후♡

아이참,
하지 마.

아,
지쳤다.

어어

벌써
가려고요?

22

24

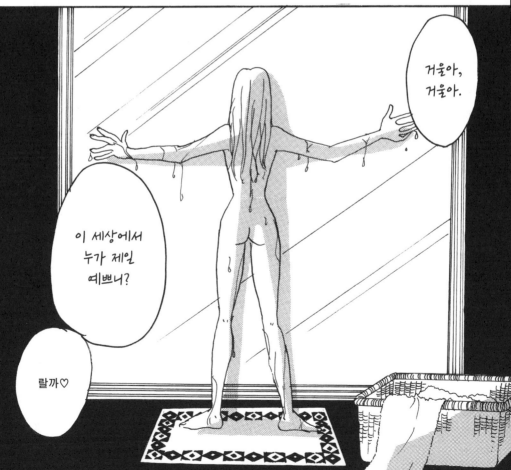

30

뭐랄까? 언뜻 완벽해 보이지만 균형이 안 맞는달까.

그게 왠지 신기하다니까.

골격과 그 위를 덮은 피부와 근육의 움직임이 어울리지 않아.

흥미로운 얼굴이야.

선생님한테 가자꾸나.

잘했어. 아무도 몰랐어.

괜찮아, 괜찮다니까.

괜찮아. 괜찮을 거야.

36

배고파서
안 오는 잠을,
어떻게든 청하려고
수면제를 먹고도
실패하는 것도,

좋아,
좋아―

내가 이 체중을 유지하려고
고생하는 것도,

좋～아.

자, 시선을
이쪽으로.

네깟놈들이
알 턱이
있겠어!!

하얀 피부를
지키려고
시간과 돈을
퍼붓는 것도

화장품은
각성제 같은 거라,
쓰면 쓸수록
더 잘 드는 게
필요해져.
더 강한 걸
원하게 돼.

어—!!
써도 돼요?

되고
말고.

효과
있는 걸
써야지.

안 쓰는 화장품
이참에
다 줄게.

저번에는 한밤중에
일이 아니라
버찌랑 무화과를
사러 뛰어다녔지.

도쿄
어디에서도
안 팔아서
괴로웠는데.

무슨 일이지?
리리코 오늘은
상냥하네.

고마워.
고생했어.

수고하셨
습니다.

40

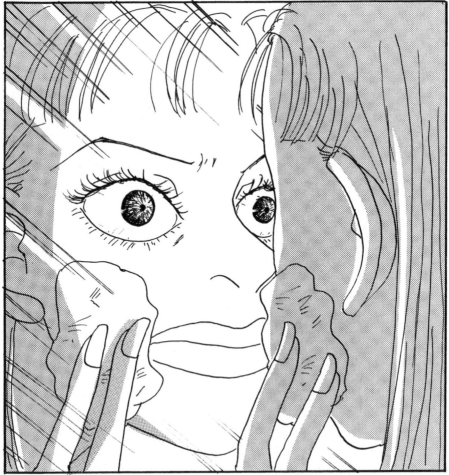

좀 더 오래
버틸 줄 알았는데…
생각보다 이르네.

나는 머지않아
쓸모없어져.

지금 나를
우러러보는
사람들 전부
떠날 거야.

내게서
상품가치가
사라지면?

엄마는?
나를 버리겠지.
엄마만이
아니야.

그럼 지금
이 생활은…

전부
끝장인 걸까?

나는 어떻게든 행복해질 거야.

그러지 못하면 죄다 끌고 지옥에 갈 거라고.

씨발, 안 되면 개새끼처럼 뒈져버릴 거야.

2

리리코, 프로듀서로 바로 그!! 오야마다 겐지가 영입되어
레코딩 중!! 천사 같은 위스퍼 보이스

영화 〈꽃의 미소〉
촬영 종료!!
주인공
요시카와 마코의
언니를 연기한
쿨 뷰티 리리코
뜻밖의 한 컷

약간
개구쟁이
느낌으로.

리리코 씨,
앞으로
한 롤만 더.

CF 여왕 랭킹!!
작년 순위 밖이었던 리리코
3위로 급상승!!

좋아,
끝입니다.

수고하셨
습니다
—

수고하셨
습니다
—

48

* TV아사히에서 1976년부터 진행되는 토크 프로그램. 배우 구로야나기 데쓰코가 진행자다.
** 후지TV에서 1982년부터 2014년까지 방송한 예능 〈모리타 가즈요시 아워 와랏테 이이토모!〉의 토크 코너.

*오카마는 일본에서 성 소수자를 경멸하며 부르는 명칭이다. 남성 동성애자, 여장 남자, 트랜스젠더 등
다양한 개념이 뒤섞여 있다.

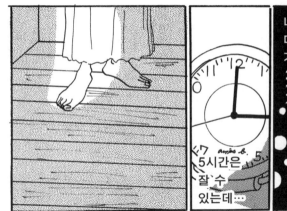

내일 10시
미도리야마에
가야 해.

5시간은
잘 수
있는데…

잠이
안 와.

하지만
멍이 이대로
사라지더라도
나는 나이를 먹어…

약으로
그냥
가라앉으면
좋겠는데…

요즘
멍이 조금
옅어진 것
같아.

괜한
오기가 아니라
나는
나이를 먹는 게
멋지다고 생각해.

변화나
속도를
무서워하면
쓰나.

자네도
그래?

누구든
나이를 먹는 건
무서우니까요.

그야말로
새로운
경험이지.

물론
이죠!!

저도요!!

젊은 날의
행동을 잊는 것도
새로운 경험이고.

추억도 기쁨도
공격성도 욕망도
차분함도 서서히
터득하게 돼.

저 하늘을 봐.
어제와는
또 다른
전혀 새로운
하늘이잖아.

나는
이 몸뚱이
하나로
먹고산다고!!

재수없는
부모한테
빌붙어 사는
새끼가!!

머리 텅텅 빈
멍청이!!

머저리!!
개 같은 소리
지껄이지
말라고!!

그래.
그러니까…

이런 일을
영원히
할 수는 없잖아.

당신은
내 왕자님
이니까.

하지만 나는
당신을
놓치지 않아.

당시를 회상하는
사와나베 긴지의 말

리리코는 정서가
매우 불안정해
보였습니다.
(원래도 그랬지만)

자 ♡
예쁘게
해줘 ♡

...

긴 짱,
내가
결혼할 때도
얼굴 맡아줘.

죽었을
때도.

기분이
최고조일 때도 있고
바닥을 길 때도
있었습니다.
극심한
두통으로
고생하기도
했고요.

아마도 약 부작용
이었을 거예요.
당시 여러 종류의 약을
먹었으니까요.

같이 일할 수
있어서
좋았어요.
내가 일하는
자부심
이었죠.

그래도 그때
리리코는 무척
아름다웠습니다...

본인에겐
표면밖에 없다고
외치듯
매끈매끈
반짝반짝
극도로 빛났죠.

내장이
틀림없이
엉망진창
이었을
거예요.
과음도
잦았고.

두통을
없애려고
다른 약을
또 먹으니까.

72

언니, 건강히 잘 지내?
얼마 전에 도쿄로 수학여행을 다녀왔어.
언니는 그러지 말랬는데 도쿄에 오니까
너무 보고 싶더라.
그런데 어디로 가야 할지 몰라서
팬클럽 주소로 갔었어.
당연히 언니는 없었지만 (일이 바쁜지?)

언니, 괜찮다면
답장 줄래?
바쁘겠지만.

P.S. 우리 반 여자애가
언니 팬이야
(물론 내가 동생이라는
얘긴 안 했어).

지카코 씀.

이 주소는 사장님이
자리 비웠을 때
몰래 수첩에서 베꼈어
(나도 참 못됐네).

건강은 꼭 챙겨.
엄마도 걱정이 많아.

근데
언니 주소나
전화번호는
가르쳐주시지 않더라.

언제나…
뭐든지…

엄마는 나한테
늘 뭔가
감추고 있어.

왜?

엄마는
왜 나한테
지카코 얘기를
안 했지?

3

전 남자친구도 굉장해요.

목격! 목격했다~~♡
인기 모델 리리코와
난부백화점 아들의 심야 밀회!!

여기는 미나토구 히로오의 고급 아파트. ×월 ×일 새벽 5시경, 깨가 쏟아지는 커플이 주차장에 등장. 아니, 저 나이스보디의 여인은 앗!! 슈퍼모델 리리코(?)가 아닌가요. 심지어 상대는 1대에 난부 그룹을 일군 난부 도쿠지의 장남 다카오 씨(27)!!

최근 모델 외에 배우, 가수, 탤런트로도 활약하며 아름다운 다리와 일본인 같지 않은 얼굴, 보디를 선보이며 팔방미인으로 입지를 다지는 리리코 씨, 사랑도 빅!! 빅!!

소속 사무실에서는 "사이좋은 친구. 그날은 스태프의 생일이라 허물없는 홈파티를 열었다."라고 밝혔지만, 다카오 씨는 지인에게 "그녀는 매력적이다. 여러모로 설레는 멋진 여성"이라고 말했다고 한다. 리리코 씨 본인은 "비・이・밀♡"이라고 하는데 슈퍼모델답다.

아무튼 이런 미녀와 하룻밤을 함께 보낼 수 있다니 그저 부러울 따름이올시다……………

두번은…

없으니까!!

절대로!!

…

아~아~
야단맞았네~

하다 짱 ♡
릴렉스 ♡
릴렉스 ♡

리리코의 명령을 듣고 사진 주간지에
정보를 흘렸다. 남자가 오니까 알려
주라는 명령이었다. 리리코의 사생활은
사장님의 커튼에 감춰져서 철저히 기록
되지 않아왔다. 사진 주간지는 물론
기뻐했다. 이건 업무 위반이다. 내 고
용주는 리리코가 아니라 사장님이니까.
알고 있다. 하지만 나는 리리코를 거역
하지 못한다…

우후 ♡

진짜
기쁘다 ♡

…

다음에
사례 듬뿍
해줄게.

정말
잘했어.

그야 재밌었지.
나도 예뻐지고서
추앙받는 게
좋아서
멍청한 짓을
잔뜩 했어.

웃기셔.
이제
너희 같은
것들이랑
놀아줄 리가
없잖아!!

지금
근신
중이야.

다음에
하자
~

그래…
내 인생의
안녕을
오래오래
보증해줄
멋진 왕자님.

하지만
그런 놀이도
이제 끝이야.
앞으로
일곱 난쟁이 따위
필요 없어.
나는 단 한 명의
왕자를 원해.

탤런트도 안 맞고
타이밍을 잘 못 잡겠어.

텔레비전 카메라 앞에 서면
여전히 심장이 쿵쿵 뛰어.

음치에다

연기도
못하는데

이런 일도
이제 싫어.

그 전에⋯ 아아⋯
어떻게든 하지 않으면⋯

언젠가는 비명을
지르고 말겠지.

88

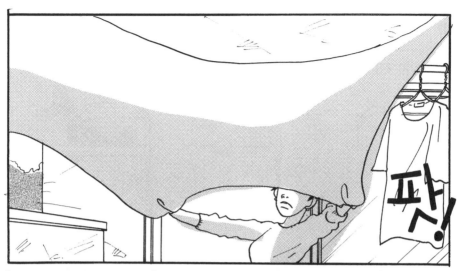

내게는
이유를
알려주지
않았다.

2주 휴가의 명목은
해외 달력 촬영인데,
좀 이상하다.
그건 저번에
해외 촬영 갔을 때
다 찍었는걸.

리리코는
2주의 휴가를
받았다.
나도 처음으로
긴 휴가를
받았다.

안 돼
!!

나도 휴가를
받았거든.

2, 3일
어디
여행이라도
갈까.

응.

이렇게
느긋한 거
오랜만이다.

94

휴가 전에
리리코가
말했다…

나는 그래서
도쿄를
떠날 수 없어…

네엣!

응~

언제가
될지는
아직
모르지만.

하루
중에
시간 좀
비워둘래?

하다
짱~

휴가
중에
미안한데.

선생님…
선생님…

아파
요오.

편지 답장은… 난 뭘 써야 할지 모르겠고,

전화는… 괴로울 것 같아서.

편지 기뻤어. 고마워…

미안해… 연락을 전혀 안 해서.

응, 조금 시간이 나서. 계속 못 만났잖아.

언니, 무슨 일이야?

저번에 3시간짜리 드라마 좋았어~

언니가 잘 지내는 건 TV나 잡지로 알 수 있으니까!!

괜찮아.

아하하. 그래?

얼굴 본 지 벌써 3년이네…

그래도 진짜 좋았다니까!!

아빠는 여전히 화나 계셔?

…엄마는 잘 지내?

진짜 우울했어. 엄청나게 깨졌거든.

대사는 안 외워지고… 남들은 다 잘하는데.

그거 힘들었어.

아니야.

만나봐～
지금은
좋아
하셔～

응.
조금 더
있다가.

에케케

그런데
너 좀 쪘다.

뭐,
예전 나에 비하면
양반이지만.

돈이라니?
무슨 소리야?

돈은
내가 내줄
테니까.

맞다!!
돈은
잘 받고
있지?

그리고
쌍꺼풀
수술해.

살 좀
빼!!

괜찮아.
아빠 병도 나아졌고
나도 아르바이트를
하니까.

···

꽤
달라
진다?

일하는 중이야, 일단!!

퍼억

특급 타고 날랐지!! 2시간 만에 왔지롱—

진짜 올 줄이야—!!

전화 통화하는데 목소리가 가라앉았던데?

어쩜 이래!!

선리조트호 진짜—
SUNRESOR

랬지.

"도대체 영문을 모르겠어~, 너무 싫어~"

아아—!!

"리리코의 팬을 데려다주느라 이런 곳에 있어~"

히죽히죽

그런데… 진짜 못생겼더라.

팬은 역까지 바래다줬고.

뭐…

어차피 밤엔 일 없잖아?

103

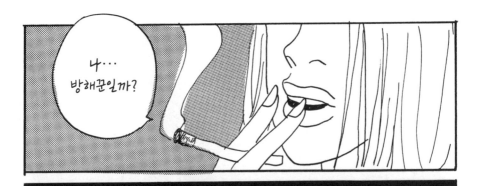

나···
방해꾼인가?

틀림없이
그랬잖아···

엄마!!
내 출연료에서
몇 퍼센트는
집에 보내주기로
약속했잖아!!

···

아니요,
절대 그렇지
않습니다!

한 푼도
안 보내다니
너무하잖아!!

그래도 지금은
CF나 광고를
이렇게나
많이 하는데.

물론 처음에는
내가 번 돈이
그렇게 크진
않았겠지.

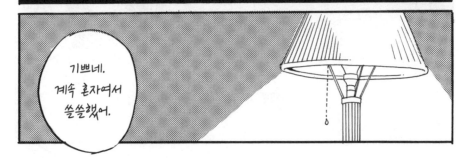

기쁘네.
계속 혼자여서
쓸쓸했어.

하지만
아무것도 않고는
도저히 못 견디겠어.

맨날 이렇게 돼.
안 해도 될 일을
해버려.

오늘 밤은
셋이서
즐기자.

진짜 맛있는
와인과 치즈가
있거든.

이 프로그램도 이제 얼마 안 남았어요. 열심히 합시다.

안녕하세요, 리리코 씨.

안녕 하세요.

네. 잘 부탁해요.

프린스는 프린세스를 좋아한다?

도쿠지 씨도 활짝 축복하는 양가의 모습

백화점과 호텔을 경영하는 난부 그룹 총수의 장남 다카오 씨(27)와 거물 보수 정치가 다나베 에쓰타로 씨의 차녀 에미리 씨(28)의 약혼이 ×월 ×일 성사됐다. 둘의 교제는 지금으로부터 8년을 거슬러 올라간 대학 시절 스키 동아리에서…

팔랑

108

110

그래!! 신혼여행 같이 가자!!

저런 여자는 혼자 두고 너만 사랑해줄게···

쿠당탕!!

어라? 끊었네.

?

저기···

리리코 씨.

멈추면 안 돼. 나아가야 해. 전진!!
이미 출발해버린 거니까.
(잠깐 꿈을 꿨을 뿐이야. 그래. 늘 꿈을 꾸고 단념하게 되잖아.)

겁먹으면 안 돼. 선택은 이미 했으니까.
내가 이미 선택해버렸으니까.

4

째깍째깍 소리가 들린다.
내 안에서
무언가가 끝난다.
이제 곧.
하지만
별로 두렵지 않아.
예전부터 알고 있었는걸.

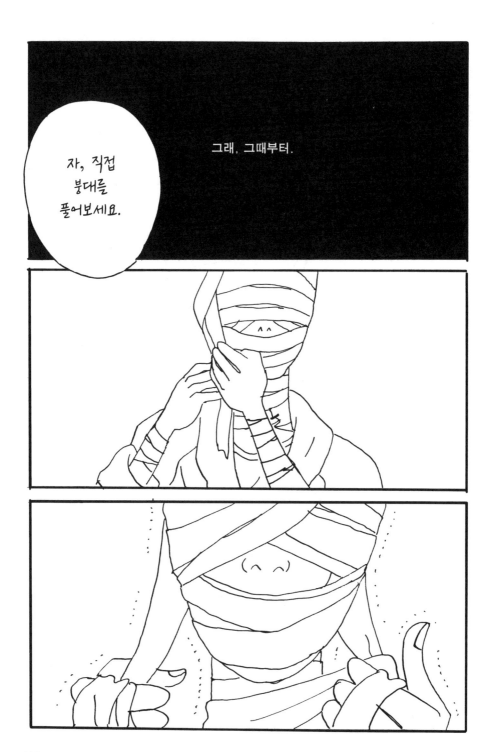

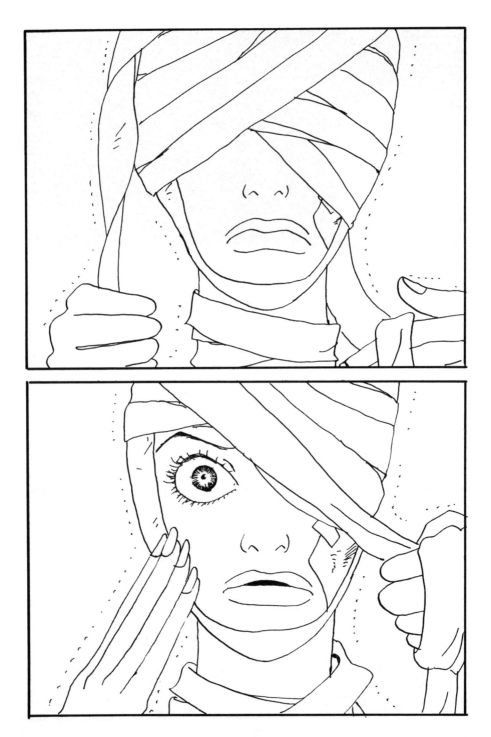

그래, 두려워하면 안 돼.
나는 이미 선택해버린 거야.

"기쁨을 경멸하고 감촉을 경멸하고 비극을 경멸하고
자유를 경멸하고 정절을 경멸하고 희망을 경멸하고

상심에서 부활!!

2주간 해외 촬영을 마치고 귀국한 리리코. 곧바로 도쿄 에비스 스튜디오에서 반응이 좋은 샴푸 시리즈 3탄 촬영에 들어갔다. 하루 내내 욕조에 몸을 담가 어지러울 텐데도 가슴골을 살짝♡ 보여주는 팬서비스. 난부 씨의 결혼으로 파국을 맞은 연애의 흔적이 전혀 느껴지지 않는 리리코의 미소에 일동 안심했다.

그야 너희들이 좋아하는 대로 해주기 때문이겠지.

글쎄요~ 저도 놀랐어요.

어찌된 걸까?

베스트 1이라뇨~

CAFE CHEZ NOUS

리리코가 되고 싶다!!

항상 두근두근. 항상 반짝반짝. '좋아하는 여자 베스트10' 앙케이트에서 1위에 오른 리리코. 신비로운 매력을 속속들이 취재!

리리코 할리우드로!

〈로즈메리의 아기〉, 〈테스〉, 〈비터 문〉 등으로 유명한 로만 폴란스키 감독의 신작에 리리코가 출연한 다는 소문이. 딱 한 장면이지만 중요한 역이라고. 도미(渡美) 시기는 미정.

118

"스타라는 존재가 지극히 흥미롭게 여겨지는 이유는,
스타가 암과 마찬가지로 일종의 기형이기 때문입니다."

또 리리코 얘기예요?

그래.

그녀의 얼굴이나 몸의 부분을 봐. 클라라 바우 같기도 하고 브리지트 바르도 같기도 하고, 진 슈림프턴 같기도 하고 페넬로페 트리 같기도 하고 라켈 웰치 같기도 하고 조세핀 베이커 같기도 하고/ 같기도 하고/같기도 하고…

얼굴과 표정도 그래.

보통 인간이 하는 말에는 성장한 역사, 환경, 또 성격과 감정이 드러나.

표면 뿐이야.

그녀가 방송에서 하는 발언에는 그런 게 전혀 보이지 않아.

〈선셋 대로〉!! 최고지!!

가장 좋아하는 여성은 글로리아 스완슨이야.

?

여성에 대해 잘 아시네요.

나는 아름다운 여성을 좋아하거든.

그녀의 아름다움은 이미지의 몽타주야.

즉 우리의 욕망 자체지!!

120

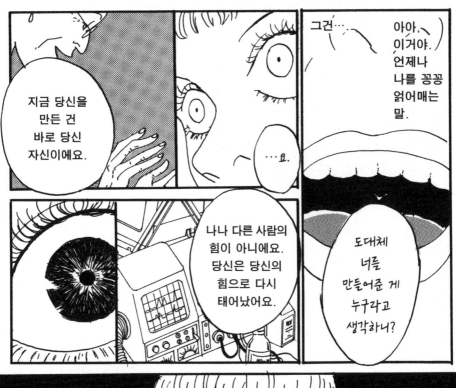

아아,
엄마의 말을
들으면
또 머릿속이
흐릿해져.
멍─해져.

너는 내
꿈이란다.

어?

알아다오.

아

움찔

내가
넌 키운 건
비즈니스
같은 게
아니야.

대체 뭘까…
이런 쳇바퀴…

이 애는
예전의 나와
지금의 내가
갖지 못한 것을
처음부터
너무 쉽게 가졌다…
열받아!!
입에 손을 쳐넣어서
내장을 뽑고
속과 겉을
확 뒤집어버릴까 보다!!

같은
소속사가
되다니
영광이에요.

리리코
선배님.

아아, 톡 터질 것처럼
촉촉한 저 피부!!
반짝반짝 빛이 나!!
갓 딴 물복숭아처럼
솜털이 나 있고
화장도 안 했는데
빰이랑 입술이
분홍빛이야.
가느다란 목,
가느다란 팔,
가느다란 허리,
가느다란 손가락,
아몬드 같은 눈…

아무리 아름다운 토끼라도 가죽을 벗기면 고깃덩어리다.

기다렸어—

괴로워~

어서와!!

다녀왔…

아, 아무도 없지.

그날 밤…
그 녀석과
리리코가
해대는 것을
그저 지켜보고
있었다…

그 녀석은…
도망치듯이
떠났고…

이후로…
전화 한 통
걸려오지 않는다.

하긴…
할 처지가
못 되겠지…

날 까맣게 잊고 남자를 끌어들이다니.

나는 하다 짱을 정말 좋아하는데.

하지만 하다 짱이 나빴어. 미안해 ♡

뭐 어때, 괜찮지.

네 남자친구 제법 터프하네…

그보다…

후우

대중은 언제나 금방 싫증낸다.

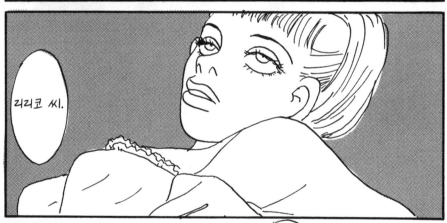

리리코 씨.

이 무렵부터
리리코는
때때로 의식이
혼탁해질 때가
있었다고 합니다.

어,
아

조금 커…

사이즈
어때요?

어!!

내 안에서 소리가 난다.
똑딱똑딱 똑딱똑딱 소리가 난다.
서두르라는 소리가 난다.

그것은…

내 안에서 무언가가
끝나가는 소리…

하지만 이게 처음은 아니야.
많은 것을 끝내며 살았잖아. 항문기나 유년기나.
아아, 그래도… 얼른…

리리코 상태가
이상하다고?

하다.
너 나한테
뭐 감추는 거
없니?

저기
…

네?

걔도 슬슬
끝물인가…

네…
피곤해서인 것
같은데…

두근

흐음

그렇다. 즉 리리코는 사장님의 반복 혹은
복제인간이었다.

5

긴 짱은
저렇게
말하지만
정말일까?

아무리
노력해서
다른 세계
라는 걸
만든다 해도,
금방 버려지고
잊히지 않을까?

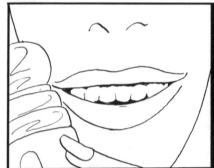

잡지라면
한 달?
CD라면
반년?
책이라면
1년?
2년?
3년?

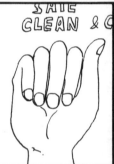

포스터
라면
몇 주?

그렇잖아?
전부
쓰레기통행
이잖아!!

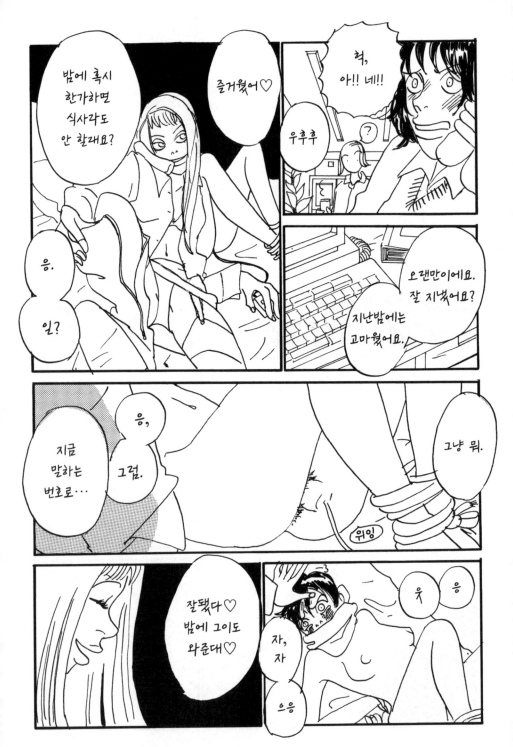

그랬더니 리리코가
밥을 먹자며 데려가서
한참이나 다정하게
많은 이야기를 해줬다.

"그만두면 안 돼"라고.
"부탁이니까"라고.

나는 뭘 원하는 걸까?

나는 어떻게 되는 거지?

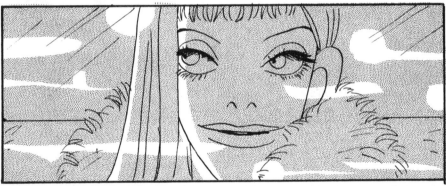

그리고 밤늦게까지 여는 가게에서 샴페인을 사서 집으로 가야지.

(진실은 절대로 말하지 않는다. 이게 인터뷰의 비법.)

인터뷰어가 좋아할 얘기만 얼른 들려주고

인터뷰는 후다닥 마무리하자.

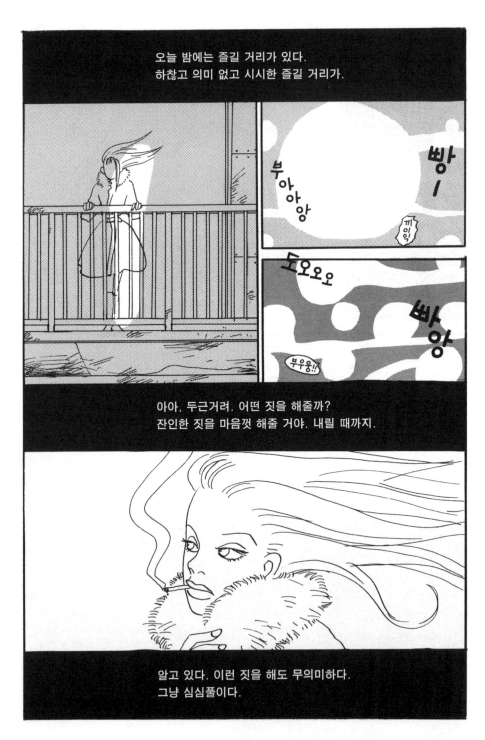

나는 그저 몸을 써서 놀고 싶을 뿐이다.
이왕이면 타인을 망쳐가면서 놀고 싶을 뿐이다.
어쩔 수 없잖아? 타인한테 엉망진창으로 당하는 건
나도 마찬가지니까.

하여간 얘는
번거로워!!
돈이고 시간이고…

알았어.
기다리렴.

죽을 것
같아!!
죽을 것
같다고!!

후~

골격이
아름다웠다!!
기적과 같았다.
비현실적으로
아름다운
골격이었다.

그 애는
골격이 좋았다.
뚱뚱하고
커다랗고
끔찍하게
못생겼지만…

피부를 벗기고
지방을 제거하고
살을 자르고
살을 채우고
이를 뽑고
갈빗대를 깎아
만든 딸.

리리코.

토대의 미묘한
균형과 배치가
핵심이다.
표면은
얼마든지
바꿀 수 있다.

눈도 코도 입도
전부 살에
파묻혀 있었지만
배치는
나쁘지 않았다.

그냥 빌딩 말고는 안 보이는데요.

여기는 개미굴의 입구에 불과해.

지면에 뚫린 작은 구멍. 하지만 그 아래에 웅장한 궁전으로 이어지는 길이 있지. 알겠나?

네…

게다가 간판조차 내걸지 않았으니…

여기에 그런 고급 클리닉이…

신은
어째서
끔찍
하네요.

그리고
혼자 죽어
버렸지…

…

젊음과
아름다움을
주었다가 금세
앗아갈까요?

젊음과
아름다움은
동의어가
아니야.

아,
타이거
릴리다.

진짜는
처음 보네.

아름다움은
좀 더 풍부하고
많은 것을
품고 있어.

젊음은
아름답지만
아름다움은
젊지 않아.

그리고
어디까지
이어질까?

이다음 날, 아주 소소한 사건이 벌어졌다.
리리코의 연인이었던 난부 다카오 씨의 약혼자 디나베 에미리 씨가
애견과 산책하던 도중에 괴한이 뿌린 황산을 맞아
얼굴에 전치 2주의 화상을 입어 결혼식이 연기된 것이다.

6

이것은 이른바
타이거 릴리의 모험
이기도 하다.

자주 울었지?
뜻대로
안 될 때면.

나는 너의
이런 면이
좋아.
방약무인한
주제에
풋내기
같은 점.

그래도
금방 단념하잖아.

손을
뻗어보지도 않고
포기한 주제에
미련만 가득하다니.

웃기지도
않아.

태어날 때부터
결정된 것들?
그런 건
다 짓밟아줬어.

하지만
나는 달라.

그리고
지금쯤
댁의
신부는
이미

응석꾸러기 씨.
그래도 오늘은
다정하게 대할게.

연애놀이도
가끔은 필요하지.

끔찍한
일을
당했을
테니까.

사건 하나.
자산가의 따님이 다음 날 있을 결혼식을 앞두고 얼굴에 황산을 뒤집어썼다.
같은 날 나고야에서 비행기 사고가 일어나 159명에 달하는 사상자가
생기는 바람에 이 사건은 거의 보도되지 않았다.

190

단칼에
거절당하고
단칼에
물러났네요.

탈세,
약사법 위반,
불법의료, 뇌물수수,
밀수 등등 털면
먼지는 얼마든
나와.

어쨌든
우리한테는
카드가
있어.

오늘은
인사차
간 거야.

↑ B9 출구 EXit

오카자키초 2번가
대학 거리
방면

하치단 우체
하루카 1번
방면

거기
주고객층이
누굴 것
같아?

하지만
그쪽 역시
카드가
있지.

…도 물론 있지만
대다수는
재계나 기업 거물의
부인이지.

바깥에
있는
차 봤나?

배우?
모델?
탤런트?

191

그리고
바닥을 기며
눈물을 흘리렴.

좀 더. 좀 더
망가져.
바닥까지 떨어져
(너희는 지금까지
속 편하게 살았으니까).

어쨌든 계속
망가져버려.

아아…

그런다고
해서

하지만

이런 짓,
아무 의미
없어…

당시를 회상하는 사와나베 긴지의 말

전… 정말로… 가슴이 아팠어요.
왜냐하면… 스파이 같았으니까.
터놓을 사람도 없고 알려져서도 안 되고,
사장에게는 계속 보고해야 하고…

우리는
손바닥과
손가락으로
일을
하잖아요?

노인 피부
같았죠.

리리코의
피부가
현저하게
약해졌습니다.

꾹 누르면
한참 지나도
여전히 쑥
들어가 있는…

살결은
변함없었지만
탄력이…

그래서…
다 안다니까요…

표면은 아름답지만 안은 벌레 먹힌 과일…

마치
화사하게 피어난
장미와 같이,
그러나
바람이 불면
당장이라도
떨어질 듯이…

그래도 리리코가
가장 아름다웠던 건
그때가 아니었나
싶어요.

시간이 이제 조금. 아주 조금 남았다.

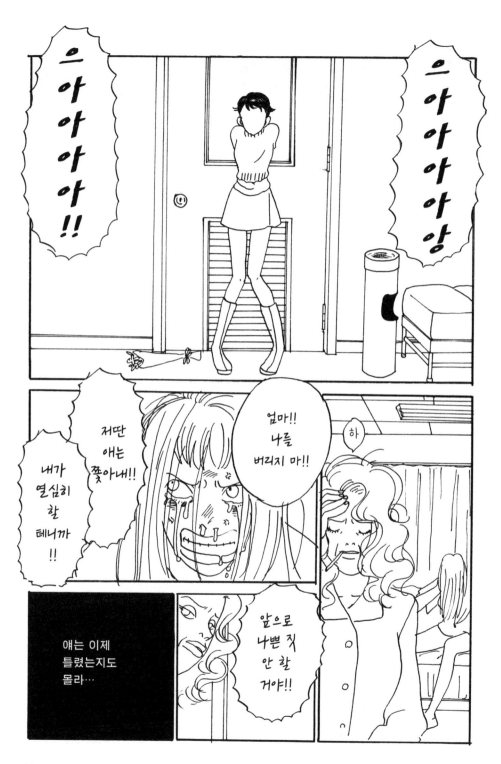

그런 짓은 못 해!!

어떻게 그런 짓을!!

요시카와 고즈에의 얼굴을 엉망으로 뭉개줘.

그년 정말 싫어!!

아아, 하지만 나는 이미 저질러버리지 않았는가.
우리가 황산을 끼얹은 그 여자는 어떻게 됐을까?

어머!!

엄마!!

여러분께서 신뢰하고 안심하시게끔 할 뿐입니다.

저희는 최고의 노력과 기술을 다해

아닙니다.

감사합니다!! 정말 감사합니다!!

아아!!

하지만 그건 값이 너무 비싸다.

리리코.

아아

나의 리리코.

아

아

아

몸 안이 꺼끌꺼끌 하다⋯

⋯

이제 그만해.

이런 지루하고 시시한 섹스를 하면 아저씨들과 일로 한 섹스가 떠오른다.

그래. 나는 가출해서 도쿄로 올라왔지만 세상물정을 전혀 몰라서

약 때문이군⋯

귀찮아라⋯

빨리 끝내라고.

언제까지 허리만 움직일 건데.

기분이 엄청 좋은데, 아아.

하지만⋯ 가지 못하겠어.

사실 나는
섹스를 그다지
좋아하지 않는다….
그래서 오히려
일도 괴롭지
않았던 거야….

그래,
어떤 파티에
출장을 갔을 때

나를 금방 팔아치웠다.
이상한 가게에.
뚱뚱한 여자들만 있는 곳.
거기엔 뚱보를 좋아하는
아저씨들이 있었다.

뭐,
태어나서 처음으로
귀여움을 받아서
즐겁긴 했어.

친절하게
말을 걸어준
사람한테
홀라당 넘어가
쫓아갔지.

그놈이
악질이었다.

아

거기에서
엄마를…
만났다.

아아, 싫어…
사랑과
섹스를
혼동하는 건
그만둬.

사랑해.

응?

리리코.

응…

좋아,
좋아.

갔어?

어디 가?

시끄럽다고!!

괜찮아?

리리코일은

어디든 무슨 상관.

믿을 수 없게도 리리코의 일은
순식간에 줄어들었습니다.
취소를 연발해서 발주 자체가 줄어든 참에,
TV에서 그 사건이 벌어졌으니까요.
소행과 이미지가 나쁘다면서
CF도 거의 다 강판당했죠.

다루기 편해서 좋지만…

이 남자 시끄러워 죽겠네. 하다 짱은 이런 놈이랑 잘도…

미안해.

화 안 났어!!

자, 가자!!

미안해, 주제도 모르고.

리리코 화났어?

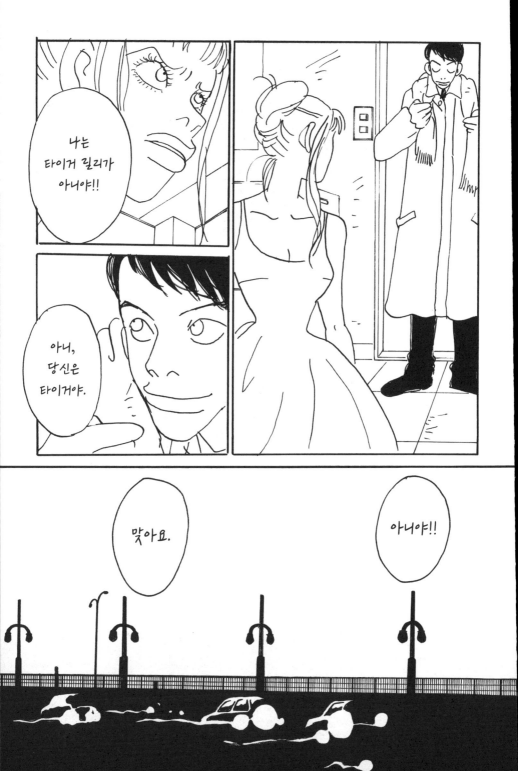

그날 하다 미치코는 요시카와 고즈에의 얼굴에 상처를 내지 못했다.
그래서 리리코는 격노했다. 하다는 평소처럼 리리코에게 괴롭힘을 당했으나,
결과적으로 하다에게 성적 흥분을 가져다주었기에

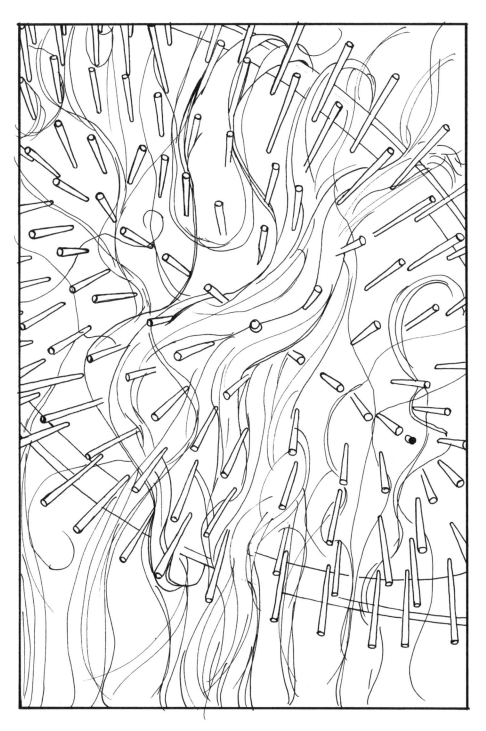

224

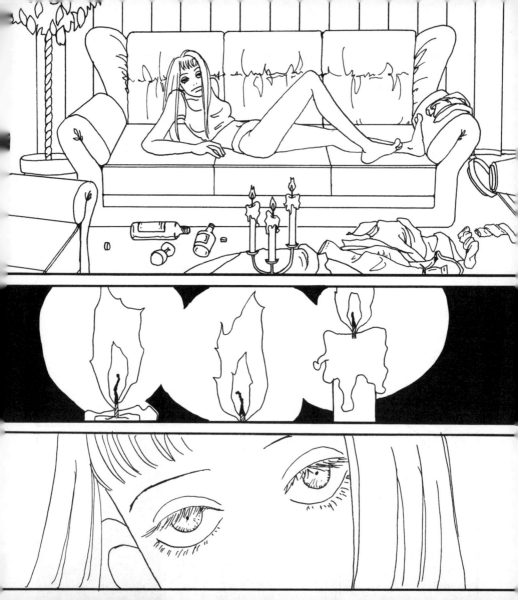

당신의
오랜
팬입니다.

드디어 만났군,
타이거 릴리.

대단
하죠
!!

들어보세요!!
제!! 한 달 만에
5.8킬로그램이나
뺐어요!!

지금까지는
좌절만 했지만
이번에는…

저는…
쌍꺼풀 수술을
하고
알았어요…

네…
그럼요.

나도
예뻐질 수 있다는
사실을요.
다이어트도 더 열심히
하려고…

부우우웅…

저…
살을 더 빼서…
꼭 예뻐질
거예요!!

달링.
즐거운
여행이었어.

어느 날, 젊은 여성이 투신자살한다. 빌딩가 한가운데에서.
모 클리닉이 입점한 빌딩 옥상에서.
그러나 이 기사는 철저하게 보도되지 않았다.
TV도 신문도 전부 입을 다물었다.

어땠어요?

아직 정황이 충분하지 않다는군.

앞으로도 늘겠지.

후유증과 복수의 약을 쓴 부작용에 괴로워하면서도 통원비를 내지 못할 여성들이.

오모리·센주 사건, 사와다 사건과 관련된 증거가 이렇게 모였는데,

더 있을지도 모르고.

충분하고도 남아. 벌써 둘이나 죽었어.

*자료

* Soul

242

244

깊은
구렁텅이라.

난
진작에
빠져 있어…

리리코는 그때 그 자료를 불태웠어야 했다.
그러나 그녀는 그러지 않았다.
그 일은 그녀에게 치명적으로 작용했다.

8

"당신이 무언가를 선망할 때, 당신은 그것을 가지고 있지 않은 것이다."

요시카와 고즈에의 얼굴··· 엉망으로 뭉개줘!!

하지만··· 리리코가.

리리코가 하래···

정말 또 할 거야?

나는 이제 싫어.

나도 싫어···

왔어?

아

안 돼···

254

어리고 아름다운 요시카와 고즈에는 리리코의 비밀을 알아차렸다.
그러나 그녀는 그 비밀을 절대 남에게 발설하지 않을 것이다.
진정으로 어리고 아름다운 자만이 갖는
존엄한 프라이드를 지녔으므로.

웃기지도
않아.

백설공주의
계모처럼.

그렇게

리리코는
그래서 나를
싫어했구나.

재미
있지만

한심하네.

인간 따위
피부 한 장
벗기면 피와
고깃덩어리일
뿐인걸.

고즈에는 생각한다.

너절해라.

그러나 이렇게 거만한 생각을 할 수 있는 것은 그녀 본인이
그 피부 한 장으로 아름다울 수 있어서였다. 날 때부터.

리리코는 호통을 쳐서 알몸인 두 사람을 쫓아냈다.
둘의 쇼로는 마음이 풀리지 않았다.
혼자 있고 싶었다. 언제나 혼자였지만.

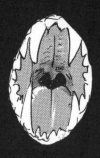

또
하나는…

바람이 불어
하나는 남고
하나는 날아갔지.

나와 너는
전생에서
어떤 신부가
쓴 모자의
깃털이었어.

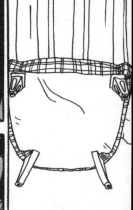

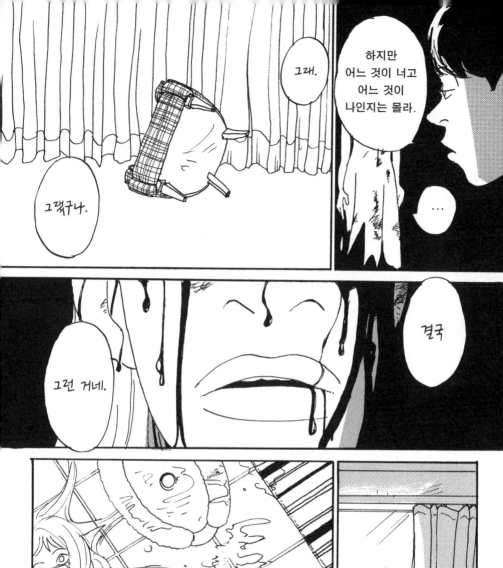

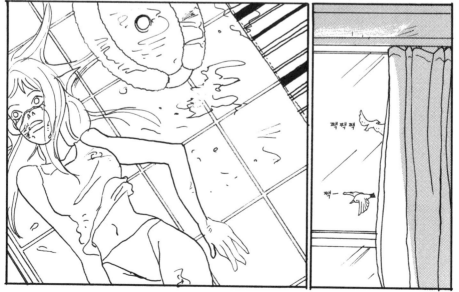

하다 미치코는 리리코의 비밀을 알아버렸다. 전부.
그리고 그녀는 그 비밀을 사람들에게 알렸다.
왜냐하면 그녀는 연약했고, 그리고 구원받고 싶었으니까.

하다 미치코는 리리코의 방에서 발견한 두꺼운 서류를 몇십 부나 복사해 잡지사, 신문사 여기저기에 보냈다. 물론 무기명으로.

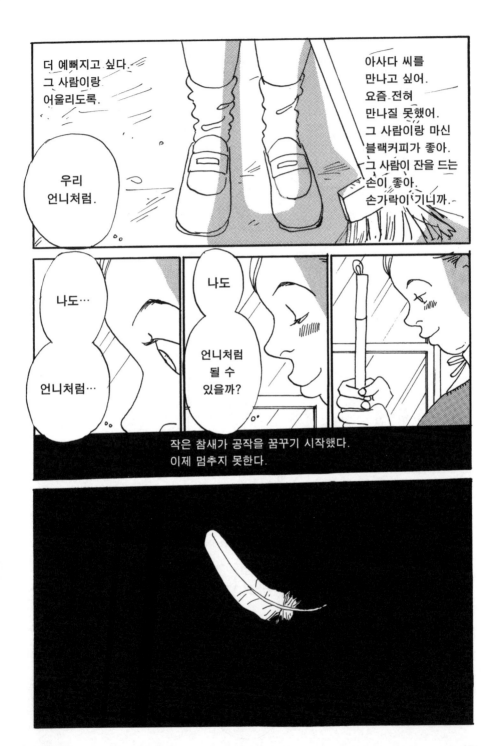

작은 참새가 공작을 꿈꾸기 시작했다.
이제 멈추지 못한다.

여성의 욕망을 무차별 농락한 여성 원장의 탐욕과 좌절.

탈세 9억 7000만 엔!! 러시아 마피아에게서 장기를 불법 수입! 정계·보건복지부와 유착·헌금·뇌물·약사법 위반(특집 기사는 28P)

사진은 도쿄 M구에 위치한 클리닉.

모두가 이 뉴스를 반겼다.

세계를 놀랜
인간이라
니까~

완전
사이보그!!

그렇게까지
변할 수 있구나!!

짱이지~
리리코!!

얘, 얘,
얘~

이게
리리코래

고소

리리코
대형 스쿠프!!

나는

'96. 3/20

반드시 이 브랜드!

자댜!!

이 하고 싶네

으악—
대박
못생겼어!!

모두가 이 뉴스를 즐겼다.
모두가 아주 좋아하는 이야기였으므로.

그리고
태아의
진액!!

끔찍해

무슨
산이었던 것
같은데~

무섭다~
몸과 얼굴에
알칼리를 뿌려서
피부를
벗기겠지~

M다 S코랑
A노 Y코도
통원했대.

설마
!!

리리코가
소프* 아가씨
였다며?

아니야!!
카바레
출신!!

*독방 형태의 목욕탕 같은 시설에서 성매매를 하는 성인업소.

아아— 리리코에 대해서 더 알고 싶어!!

처녀의 피를 마신다거나~~

재밌어~

리리코 웃기다~

리리코는 다시 모두의 사랑을 받게 된다.
일종의 셀러브리티로서,
스캔들과 가십의 여왕으로서.

아하하하

후후

뭐야아

킥킥킥

9

잊었다 싶었던
리리코는
일종의 괴물로서
극적으로
부활했다.
하나…

다른 모델들도 다 하나둘 떨어져나가고!!

당연히 적자지!!

인도 죄다 취소 되는데!!

그럼 이제 어떻게 할 거야?

내 폐기 처분은?

엄마랑 맨처음 했던 약속도 지키지 못했어.

생각보다 일찍 쓸모가 없어졌네···

···

내가 널 만들었으니까.

끝까지 책임 져야지.

너를 이렇게 만든 건 나니까.

나는 엄마의 망가진 장난감. 도움 안 되는 애완동물.
끝까지라··· 그런데 끝이란 게 뭐지?

286

그녀는 죽음을 몽상한다. 그녀는 모두를 위해
마음을 담아 바칠 마지막 서비스를 시뮬레이션한다.

대단한 쇼를 떠올렸어. 그래.
모두가 만족할 만한 희열의 서프라이즈쇼.

리리코 씨,
성형은
몇 차례에
나눠서 하셨죠?
기간은?

리리코 씨,
매니저와
레즈비언 연인
관계라는
소문은?

이케부쿠로
특별데이트
아가씨
시절의 이름
헬레네의
유래는?

우유…

뭐라도
좀…

리리코.

수십 명이나 되는 리포터 무리.
수백 개나 되는 렌즈.
수천 번의 플래시와 셔터음.

그리고 TV를 볼
수만 명의 사람.
마침내
내가 등장할 차례.

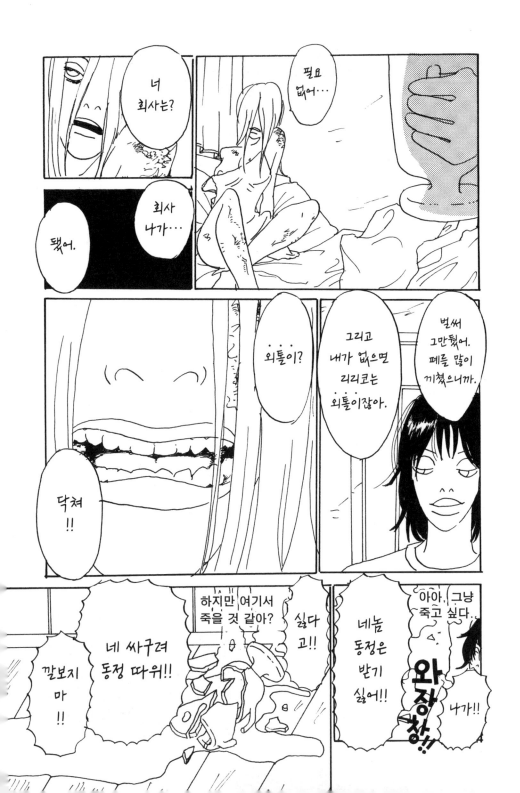

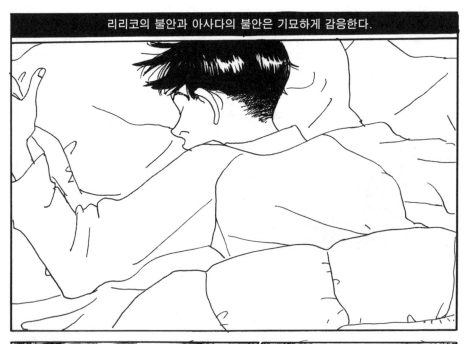

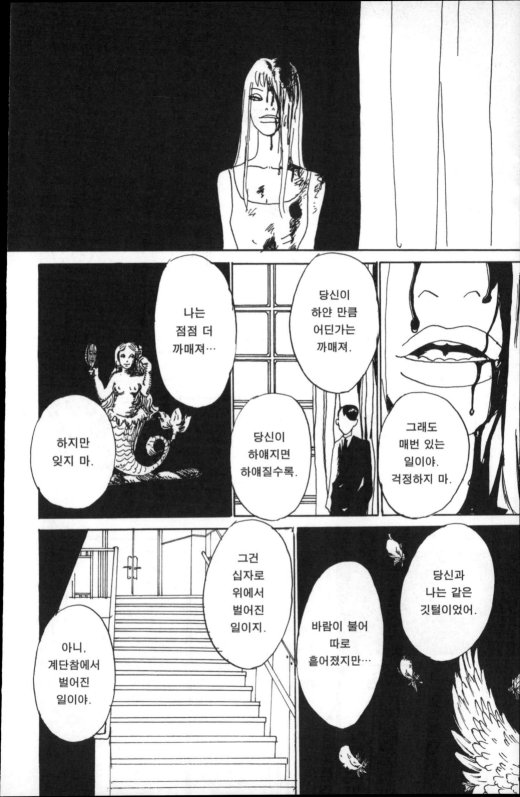

똑같은 공포에 휩싸인 여성이 전국에 수십에서 수백 명이나 있었다.
아름다움과 젊음을 순수하게 추구한 끝에 돈으로라도 이를 사고자 했던 여성들이…

저는 그저 찾아준 분들의 희망에 따라 노력했을 뿐입니다. 최고의 성의와 기술을 다해…

지금 회사 광고를 읊으라는 게 아니잖아!!

이론적으로, 정기적인 약 투여와 치료만 계속했다면…

치료는 분명 효과가 있었어요. 말씀이 심하시네요.

사기 의료에 법을 벗어난 가격을 매기고!!

그러니까 약 부작용이 문제 아닙니까!!

가격도 설비 투자에 맞췄습니다.

그는 연금술사가 되려고 했다. 이 세상에 존재하지 않는 것을 추구했다.
여성들의 욕망 그 자체를 형태로 만들어내고자 했다.
돈은 상관없었다. 리리코는 제법 성공작이었다. 그러나 결국 실패했다.
(막상 본인은 어렸을 때 중국인 모친이 뚫어준 귀걸이 구멍 외에는
몸에 거의 손을 대지 않았다. 화장도 하지 않았고 머리도 염색하지 않았다.)

기자회견 날, 리리코를 마지막으로 분장해준
사와나베 긴지의 말

내 사진을
들고
마이클
잭슨한테
가면
전속으로
써줄걸?

기자
회견 날,
농담을
나눴지만

그럼 나는
말하자면
스크리밍
매드 조지?

이쯤
되면
특수
메이크업
수준
이지?

지금 나,
꼭
스플래터
같잖아.

미안해,
긴 짱.

오오,
그러는 김에
리즈도 내가
담당할까?

'할 수 있다면
비명을 지르며
도망치고 싶다.'

그런 순간이
몇 번이나
있었습니다.
그녀에게도
제게도.

제 손은
덜덜 떨렸어요.
그렇게 예뻤던 애가
이렇게 되다니,
아아… 정말…
리리코도
괴로웠겠죠.

짜잔!!
리리코!!
다 됐습니다!!

그건
제 생애
최고이자
최대의
작업이었어요.

몇 시간이나
걸렸어요.

300

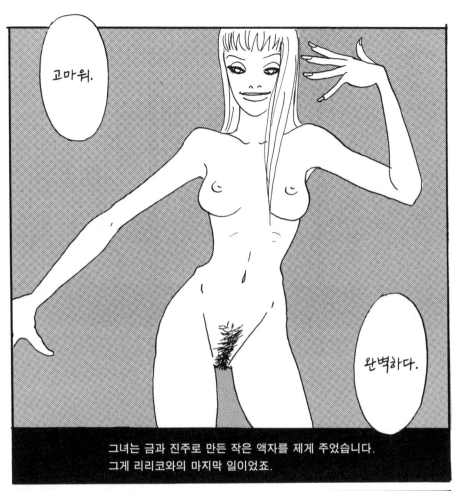

그녀는 금과 진주로 만든 작은 액자를 제게 주었습니다.
그게 리리코와의 마지막 일이었죠.

얼굴을 비비면 안 돼. 화장이.

아아, 머리 아파. 깨질 것 같아…

앞으로 5분이면 내 마지막 쇼가 시작돼.

해내는 거야. 반드시. 모두 앞에서.
마지막 쇼를, 마지막 서비스를.

나는
네 격렬함을
사랑해…

네 격렬함은
언젠가 너를
태우겠지.

하지만
지금은
그럴 때도,
그럴 장소도
아니야.

또
어딘가에서
만나지.

안녕,
타이거 릴리.

리리코는 기자회견에 나타나지 않았다.
잠깐 사이에 모습을 감췄다. 연기처럼.

피투성이가 된 호텔 대기실 바닥에는
리리코의 것으로 추정되는 안구 하나만이 남아 있었다.
모두가 이 뉴스를 더없이 기쁘게 받아들였다.

그리고 리리코는 모습을 감춤으로써 마침내 엄마와의 마지막 약속을 이루었다.
엄마가 해내지 못했던 것, 즉 신화와 전설이 된 셈이다.

311

역시 5년 후 멕시코.

좋아, OK.

끝났습니다.

요시카와 고즈에는 5년이 지나도 인기 좋은 모델이다.
이 시점에는 아직 아무도 그녀를 잊지 않았다. 어쩔 수 없다.
그녀도 달리 할 일이 없어서 그만두지 못했다.

여기 독특한 쇼를 보여주는 클럽이 있대.

아, 맞다. 코디한테 들었는데.

뒤풀이, 뒤풀이.

휴

아, 맥주 마시고 싶어.

고즈에. 수고했다.

그런 데는 가지 마!!

나 가고 싶다.

뭐라더라, 괴물이 잔뜩 나와서 장관이래.

호오

우선은 맥주부터, 맥주!!

랍스터가 맛있는 가게가 있다니까 거기 가자!!

하이. 미스터 오쿠, 미세스 하다, 준비 OK?

노, 잠깐 기다려요.

LA CABANA

어?

요시카와 고즈에는 도쿄에서
멀리 떨어진 곳에서 리리코와 조우했다.

리리코?

거짓말…

타이거 릴리의 기묘한 모험의 여정이 시작된 것이었다.
그러나 이 얘긴 또 다른 기회에.

TO BE CONTINUED.

본 작품 연재가 끝난 1996년 5월, 음주운전 차량에 치인 오카자키 교코는 지금도 재활 중입니다.
보통은 단행본으로 엮으면서 가필 수정을 거치지만, 오카자키에게 일부만을 확인하고 수정하여
출판한 판본입니다. 오카자키는 조금씩이지만 착실히 회복하고 있으므로 앞으로 좀 더 완성도 높은
버전을 세상에 내놓을 수 있기를 바랍니다. 안노 모요코를 비롯해 출판을 위해 노력해주신
여러 관계자께 인사드립니다. 특히 가족분들에게 깊은 감사와 진심 어린 경의를 표합니다.

2003년 4월
쇼덴샤 편집부

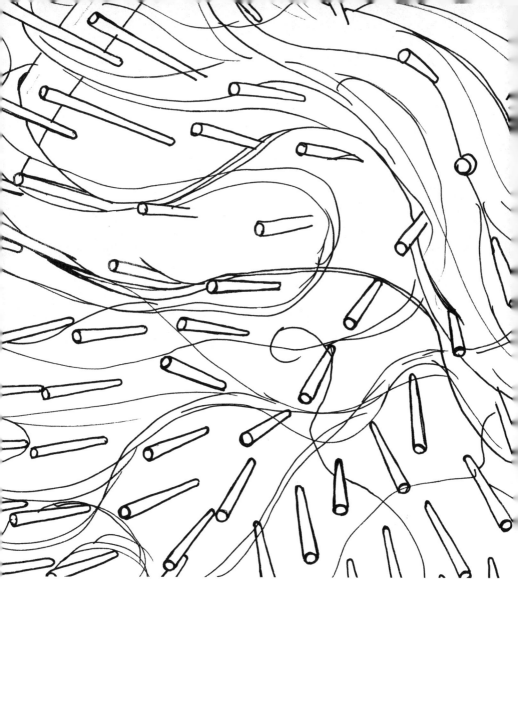

HELTER SKELTER

1판 1쇄 펴냄 2020년 2월 21일 / 1판 3쇄 펴냄 2023년 6월 30일

글/그림	오카자키 교코	펴 낸 이	김태웅
번 역	이소담	펴 낸 곳	goat
편 집	김미래	출판등록	2016. 6. 1. 제2018-000235호
디 자 인	스팍스에디션	주 소	서울시 마포구 백범로48 2F

한국어판 ⓒ 쪽프레스, 2020. Printed in Seoul.
ISBN 979-11-89519-12-4 07830

goat는 쪽프레스의 단행본 브랜드입니다.
종이를 별미로 삼는 염소가 차마 삼키지 못한 마지막 한 권의 책을 소개하는 마음으로,
알려지지 않은 책, 알려질 가치가 있는 책을 선별하여 펴냅니다.
jjokkpress.com
instagram @jjokkpress